loqueleo

ÁMBAR EN CUARTO Y SIN SU AMIGO

Título original: *Amber Brown Goes Fourth*

D.R. © del texto: Paula Danziger, 1995

D.R. © de las ilustraciones: Tony Ross, 1995

D.R. © de la traducción: P. Rozarena. Con la autorización para la traducción en lengua castellana de G.P. Putnam Sons, una división de Putman & Grosset Group.

Primera edición: 2013

D.R. © Editorial Santillana, S.A. de C.V., 2015
        Av. Río Mixcoac 274, piso 4
        Col. Acacias, México, D.F., 03240

Segunda edición: octubre de 2015
Primera reimpresión: julio de 2016

ISBN: 978-607-01-2848-6

Impreso en México

Esta obra se terminó de imprimir en julio de 2016
en los talleres de Litográfica Ingramex, S.A. de C.V.
Centeno 162-1, Col. Granjas Esmeralda,
C.P. 09810, México, D. F.

www.loqueleo.santillana.com

Ámbar en cuarto y sin su amigo

Paula Danziger

Ilustraciones de Tony Ross

loqueleo

A Earl y Shirley Binin,
que me enseñaron a estimar
la creatividad y la personalidad.

1

Me siento en mi cama y miro el *Libro de Papá*. Está lleno de fotografías de papá solo, de él conmigo, y fotografías de nosotros tres: papá, mamá y yo. Hay también fotos donde están ellos dos solos, antes de que se separaran.

Como mi madre no tiene en casa ninguna foto de mi padre, yo he hecho este *Libro de Papá*.

Si alguna vez me voy a ver a mi padre a Francia, he pensado que haré un *Libro de Mamá* y lo llevaré conmigo. Estoy casi segura de que mi padre tampoco tiene fotos de mamá en su casa.

Sin embargo, sé que tiene fotos mías. Me lo dijo cuando fue a verme a Inglaterra y yo estaba con varicela en casa de la tía Pam, y por esa razón no pude ir a verlo a su casa de Francia.

Algunas veces hablo con el libro como si mi padre estuviera allí de verdad.

Hoy es una de esas veces.

"Estoy un poco nerviosa al pensar que otra vez empieza el colegio. Va a ser la primera vez que tú no estés para acompañarme el primer día de clase. Y mi mejor amigo, Justo, tampoco estará. Se ha ido a vivir a Alabama."

Miro la fotografía que mi padre se tomó el día que fuimos al Parque de Atracciones. Se está riendo... y tiene un pegote de algodón de azúcar en la nariz.

Papá no puede decirme nada.

Yo sigo hablándole: "La verdad es que estoy algo más que un poco nerviosa... Estoy asustada. Voy a empezar cuarto... y dicen que cuarto es muy difícil... y en cuarto ya no tendré de maestro al señor Coten. ¿Qué pasará si tengo la cabeza tan llena con todo lo que he aprendido desde la guardería, preescolar, primero, segundo y tercero, que ya no me queda lugar para aprender nada más? ¿Y si me toca un pupitre que cojea? ¿O si me siento en uno donde el año pasado se sentó un niño estúpido y todavía queda estupidez en el banco y se me pega?".

Casi puedo oír cómo se ríe mi padre cuando le digo esto.

Y casi me río yo también... un poco... Luego sigo: "¿Y qué pasará si nadie quiere ser mi mejor amigo? Ya se me ha olvidado cómo se hace eso de conseguir un mejor amigo. No he tenido que hacerlo desde que estaba en preescolar, y entonces yo no tuve que hacer nada, salió solo".

Le he dado un beso a la foto.

Casi he sentido en los labios el sabor del algodón de azúcar que él tenía en la nariz. "Y, papá, ahora te voy a contar una cosa: mamá está saliendo con un tipo que se llama Max. Empezó a salir con él mientras yo estaba en Inglaterra. Y me parece que él le gusta bastante. Y ella dice que ella le gusta bastante a él".

Miro la foto de mi padre.

Sigue sonriendo.

Bueno, pues yo no. "Cuando volví de Inglaterra, mamá quiso que conociera a Max, pero yo no quise".

Yo no quiero que mi madre tenga un amigo y que salga con él, a menos que ese amigo sea mi padre. Cuando me habló de Max y de que eran amigos y todo eso, me asusté y lloré de verdad, no esas lágrimas de mentiritas que una hace que salgan como si fueran de verdad; no, lágrimas de verdad verdadera. Y entonces ella me dijo que no hacía falta que yo lo conociera, a menos que la cosa empezara a ir muy en serio.

Empiezo otra vez a hablar con la foto de mi padre:

"Y esto puede llegar a ser muy serio, papá. Si piensas volver a vivir con nosotras, más vale que vengas pronto. Tengo miedo".

"Max no vive aquí, vive en otro lugar.

¿Y si mamá y él deciden casarse? Entonces mamá y tú ya no podrán estar casados. ¿Y si ellos deciden irse a vivir al lugar en que vive Max... y entonces yo tengo que ir a otro colegio?".

Mi padre no dice nada.

A lo mejor yo debería llamarle por teléfono y hablar con él en persona, no con la fotografía.

Pero no estoy segura de si yo podría contarle a él todo esto... o decírselo a mi madre... o a alguien.

—¿Qué aspecto tengo? —dice mi madre entrando en mi cuarto.

Cierro el *Libro de Papá* y lo pongo boca abajo; luego la miro a ella.

Se ha puesto una falda negra, una blusa malva y aretes.

La verdad es que me parece que todo le queda muy bien, pero no tengo nada de ganas de decírselo.

—Apestas a perfume —le digo, y hago como que me molesta el olor y arrugo la nariz.

La verdad es que huele muy bien, pero tampoco me dan ganas de decírselo.

Se pone un cinturón negro y se lo abrocha contemplándose en mi espejo.

Se vuelve hacia mí.

—¿A qué hora viene a buscarte Ese-Como-Se-Llame? —le pregunto.

—Max debe de estar llegando ya —ha pronunciado con más intensidad el nombre de él y me mira fijamente.

—¿A qué hora vas a volver? —me meto en la boca un mechón de mi pelo y empiezo a mordisquearlo.

—No lo sé, pero, cariño, no tienes que preocuparte; Juana va a pasar aquí la noche. Y yo estaré de vuelta mucho antes de que te despiertes mañana.

Sigo mordiendo mi mechón de pelo.

—A lo mejor no puedo dormirme hasta que vuelvas.

Mi madre suspira:

—Será muy tarde.

—Te esperaré despierta.

Quiere cambiar de conversación.

—Cariño, no te mordisquees el pelo. Acuérdate de cómo Cheshire, el gato de Angora de tía Pam, anda todo el día con arcadas y escupiendo pelotitas de pelo por la casa. Si te sigues metiendo el pelo en la boca acabarás haciendo lo mismo.

Señala un rincón y dice en plan de broma:

—Habrá pelotitas de pelo de Ámbar por todas partes.

Realmente me parece divertido, pero ni siquiera sonrío:

—Pienso estar despierta hasta que vuelvas, así que no vuelvas muy tarde.

Me mira como si fuera a echarme un sermoncito, pero sólo me dice:

—Bueno.

Yo sé que ella piensa que me dormiré, pero no voy a dormirme. Estoy segura de que no.

2

No voy a levantarme de la cama.

Hoy no.

Ni mañana.

Ni en todo el tiempo que duren las clases, que empiezan hoy.

Ya fue bastante difícil levantarme ayer y oír a mamá comentar lo bien que la había pasado con Max.

Max le gusta, le gusta de verdad.

Y dice que está segura de que también me va a gustar a mí.

Yo estoy segura de que no.

Ni siquiera quiero conocerlo.

No quiero de ninguna manera que me guste.

De eso estoy segurísima.

Y también estoy segurísima de que no quiero levantarme de la cama para ir al colegio.

Mi despertador empieza a gruñir.

Es una combinación de despertador y alcancía.

Es un cerdo en un baño de espuma; me lo regaló tía Pam.

Cuando le meto una moneda se ríe y me da las gracias, pero a la hora de despertarme, gruñe.

Aprieto el botón y apago el despertador. Me tapo la cabeza con la almohada.

Antes de que pasen cinco minutos llega la Mamá Despertador y me quita la almohada para despertarme.

Este despertador es una persona que se enreda con mi pelo y dice cosas distintas según el día.

La mañana después de su salida con Max, me despertó diciendo:

—Ya sabía yo que te dormirías...

Hoy, la Mamá Despertador me quita la almohada de la cabeza y dice...

—Despierta, cariño... Hoy es el primer día de colegio.

Y no hay botón para apagar a una Mamá Despertador.

Abro los ojos sólo un poquito para mirarla y le digo:

—Cuarto no es nada importante. Despiértame el año que viene y ya pensaré si me interesa ir a quinto.

Me hace cosquillas y dice:

—Vamos, a darte un baño. Vístete y baja antes de media hora; te voy a preparar un desayuno nutritivo y rico. Luego te llevaré al colegio.

—No hace falta que me lleves. Puedo ir andando yo sola. He ido así los dos últimos años.

Me acuerdo de cómo iba y volvía del colegio con Justo. Y de cómo al volver me quedaba en su casa hasta que mamá volvía del trabajo.

Ahora todo es diferente, porque Justo ya no vive aquí.

Y digo otra vez:

—Mamá, puedo ir andando al colegio.

Mamá suspira y dice:

—Ya hemos discutido eso. No quiero que vayas andando tú sola, así que yo te llevaré en el coche, y por la tarde iré a buscarte después de la permanencia.

Vuelvo a ponerme la almohada en la cabeza.

Eso de la permanencia es lo que han inventado para los que no podemos ir a casa en cuanto terminan las clases.

La culpa de todo la tiene el padre de Justo. Si no hubiera aceptado ese estúpido trabajo, nuestras vidas no habrían cambiado.

¿Irá la madre de Justo a llevarlo hoy a su colegio también?

¿Estará él también pensando en lo distinto que va a ser todo? ¿Me echará de menos como yo lo echo de menos a él?

—Vamos, guapa, arriba y en marcha.

Me quita la almohada de la cabeza y usa la voz que significa: "Levántate ahora mismo o vas a dejar de ser mi niña guapa".

Empieza a hacerme cosquillas en los pies.

Yo, Ámbar Dorado, aborrezco que me hagan cosquillas en los pies.

Lo odio con todas mis fuerzas.

Así que me levanto de la cama y tropiezo con el cuaderno nuevo. Lo recojo y lo pongo junto al estuche de los lápices.

He decorado el estuche con un montón de calcomanías nuevas y lo he llenado con bolígrafos, lápices y gomas.

Mientras me baño, pienso en muchas cosas diferentes... ¿Cómo será el profe de este año? ¿En qué pupitre me sentaré? ¿Quién se sentará a mi lado? ¿Seguirá Ana Burton siendo antipática conmigo? ¿Seguirán algunos niños siendo igual de bobos que el año pasado? ¿Habrá alguien nuevo en la clase que necesite un mejor amigo?

Salgo del baño, me seco, me pongo crema, me cepillo los dientes y luego el pelo (no con el mismo cepillo, claro).

Me visto.

Mallas negras y una camiseta larga que me compró tía Pam este verano. Tiene el mapa del metro de Londres. No me la había

puesto hasta ahora. La he estado guardando
para estrenarla el primer día de colegio.

Me pongo los zapatos nuevos. Primero
el del pie derecho y luego el del izquierdo.

Siempre lo hago así. Ya sé que es una manía, pero siempre lo hago así y me gusta.

¿Estará Justo ahora mismo poniéndose los zapatos también? ¿Se acordará de amarrárselos o tropezará y se caerá porque no estoy yo con él para recordárselo...? ¿Se lo recordará alguien?

Meto mis cuadernos y las cosas de escribir dentro de la mochila, que es de color rosa fosforescente, y cuelgo del cierre el duende de la buena suerte que me regaló tía Pam hace dos años.

Oigo que suena el teléfono.

Luego deja de sonar.

—Ámbar —mamá me llama desde la cocina—, es para ti. Tu padre. Date prisa.

Corro hasta el teléfono.

¡Mi padre me llama desde París, Francia!

—¡Papá! —he corrido tanto que casi no puedo respirar.

Oigo el clic que suena cuando mi madre cuelga el teléfono de la cocina.

—Ámbar —la voz de mi padre suena como si estuviera cerquísima, pero yo sé lo lejos que está—. Ámbar, sólo quiero decirte que espero que tengas un estupendo primer día de colegio. Me hubiera gustado estar hoy ahí.

—¿Con nosotras? —siempre sigo espe-
rando que él y mamá quieran volver a estar
juntos, aunque ellos siguen diciendo que no
lo van a hacer nunca.

—Ámbar —dice mi padre y suspira—.
Cariño, no, no digo ahí con ustedes, en esa
casa... Yo necesito una casa para mí.

Los dos nos callamos durante un ratito,
luego le digo:

—Te echo de menos, papá.

—También yo te echo de menos a ti. Me gustaría ver qué te has puesto hoy para ir a clase y estar ahí para que luego me cuentes cómo te ha ido en este primer día. Te llamaré otra vez en la tarde, cuando calcule que ya estás en casa, para que me digas cómo fue todo.

Hago cálculos yo también; a esa hora, para él, en París, serán las doce de la noche.

Antes de colgar hacemos un concurso de besos..., ruido de besos cada vez más deprisa, más deprisa, hasta que a uno de nosotros se le cansan los labios. Gano yo, como siempre.

Cuando colgamos, me siento contenta de que se haya acordado y haya llamado, y me siento muy triste porque vive tan lejos.

Mientras bajo las escaleras pienso otra vez en este primer día de colegio.

Me gustaría que ya fuera mañana a estas horas, porque así ya habría pasado el primer día de colegio y yo sabría si todo había salido bien.

Me gustaría que mi profesor fuera estupendo y que opinase que yo soy también estupenda.

Me gustaría no estar tan nerviosa.

Me gustaría...

3

Yo, Ámbar Dorado, creo que el patio de recreo del colegio debería llamarse de otro modo. Debería llamarse el patio de-no-hacer-nada-y-hablar, por lo menos para los de cuarto para arriba... por lo menos así es el primer día de clase.

Mientras hablábamos, miro hacia todas partes. De momento no hay nadie nuevo en cuarto. Hasta ahora, todos los que eran mejores amigos el año pasado siguen siendo mejores amigos este curso.

No hay nadie sin mejor amigo... nadie... excepto yo.

Alicia Sánchez me pregunta:

—Ámbar, ¿qué hiciste este verano?

—Estuve en Inglaterra.

—¡Vaya un invento! —Ana Burton sigue siendo la misma estúpida de siempre—. Estás inventando toda una mentira para presumir.

—No estoy presumiendo. Alicia me ha preguntado y por eso lo he dicho. Es verdad, he estado en Inglaterra.

—Y tú, ¿qué has hecho? —le pregunta Naomí a Ana Burton.

—Mi familia alquiló una casa en la playa. Por eso he vuelto tan morena —y se mueve como si fuera una modelo.

Yo hago como que bostezo.

—¿Dónde está Brenda? —pregunta Alicia—. ¿No fue a verte a la playa?

—Sí, pero eso fue a principios del verano. No sé dónde está ahora... y la verdad es que tampoco me importa —Ana se encoge de

hombros—. A lo mejor sigue en California con su familia, no sé.

—Yo creía que era tu mejor amiga —dice Alicia—. ¿Cómo es que no sabes dónde está?

Ana vuelve a encogerse de hombros y no dice nada.

Parece que Ana está también sin mejor amigo, como yo; pero con lo idiota que es, yo no querría de ninguna manera ser su mejor amiga, ni siquiera su peor amiga. Esa monstrua lo que debería tener es una mejor ENE-MIGA.

—Me han dicho que te dio varicela en Londres —me dice Tiffany.

—Al segundo día de llegar, ¿qué te parece?

Ana Burton nos interrumpe y dice:

—Yo tuve la varicela en primero.

—Te estás inventando una mentira —le digo y le saco la lengua.

Me mira furiosa y luego levanta la cabeza con la nariz hacia las nubes, dándose muchos aires de sabihonda.

—Eres una mentirosa. ¡Que has estado en Inglaterra! ¡Como que nos lo vamos a creer!

—Mira, ten cuidado —le digo—, si sigues con la nariz para arriba y llueve, te ahogarás; claro que a nadie le importará nada.

Gregorio Bronson hace como que habla por un micrófono que tiene en la mano:

—¡Noticias frescas para los amantes del deporte! ¡Primer asalto entre las veteranas Burton y Dorado! Algunos opinan que ésta puede ser la pelea del siglo. Otros dicen que es simplemente el comienzo de un nuevo curso.

—Yo no he sido la que ha empezado —digo y señalo a Ana, que lleva una camiseta en la que dice: MIS PADRES FUERON A LA PLAYA Y TODO LO QUE TRAJERON FUE ESTA ESTÚPIDA CAMISETA.

Personalmente, pienso que en su camiseta debería decir: MIS PADRES SE CASARON Y TODO LO QUE TRAJERON A ESTE MUNDO FUE A ESTA ESTÚPIDA CRIATURA.

Jaime y Roberto llegan corriendo y empiezan a hacer ruidos de lo más ordinarios.

Después de hacer ruidos verdaderamente fuertes y groseros, Jaime anuncia que se va a celebrar una Olimpiada de Eructos y que todo el que quiera se puede apuntar después del almuerzo.

—Voy a buscar mi bolígrafo —digo, y me pongo bizca.

—¡Yo me apunto ahora mismo! —Naomí se ríe y firma en el aire.

Roberto eructa y luego dice:

—Pueden tomarlo a broma si quieren, pero vamos a dar un premio estupendo.

—¡No te creo! —Naomí niega con la cabeza.

—No, ¿eh? Pues mira —Jaime levanta la mano como enseñando un invisible trofeo—, vamos a dar de premio la sirena musical que le regalé a mi hermana la Navidad pasada.

—A ella no le gustó nada —nos explica Roberto.

—Era de rebaja, muy barata —dice Jaime y se ríe.

—¡Es feísima! —asegura Roberto.

—Me la devolvió como regalo de cumpleaños. Y ahora va a ser nuestro premio en el campeonato de eructos. La traeré mañana —promete Jaime.

Los dos empiezan a hacer ruidos de todas clases y a soltar eructos.

Obviamente, los demás niños empiezan a hacer lo mismo.

Algunas cosas no cambian nunca.

El año pasado, los niños soltaban chillidos de mono.

Este año sueltan eructos.

El año pasado, Federico se metía el dedo en la nariz y luego se lo chupaba.

Este año sigue haciendo lo mismo.

Lo sé porque algunos niños acaban de gritarle:

—¡Marrano, deja tus mocos en paz!

Bueno, algunas cosas sí han cambiado. Tiffany ahora escribe su nombre así: Tiffani, y se ha puesto sujetador, y la verdad es que le hace falta.

Jaime y Roberto han ido detrás de ella comentándolo a gritos y el señor Coten, nuestro profesor del año pasado, los ha regañado.

Y otro cambio en el que no tengo más remedio que pensar todo el tiempo es en que

Justo no está aquí el primer día de clase por primera vez en seis años, desde que estábamos en preescolar.

Seguro que Justo podría ganar el campeonato de eructos. Podía eructar el alfabeto completo al derecho y al revés.

Gregorio vuelve a imitar a un locutor deportivo:

—¡Fredi Romano va el primero... con cuarenta y dos eructos consecutivos!

—Gracias, gracias, afición —Fredi se inclina ante una audiencia imaginaria—, le debo mi éxito a las dos botellas de refresco que bebí para desayunar.

Suena el timbre de la escuela.

Es hora de volver a clase.

¿Cómo será el nuevo profesor?

¿Cómo será la clase sin Justo?

¿Dónde habré puesto mi mochila?

4

—Enhorabuena, Ámbar, este año eres tú la que estrena el rincón de las cosas perdidas —la señora Peters, la secretaria, me sonríe y me pasa mi mochila rosa—. ¿Has perdido algo más? —me pregunta.

Me gustaría decirle: "Sí... a mi mejor amigo. ¿No han encontrado alguno?". Y como me quedo mirándola, me recuerda:

—Creo que debes irte a clase, vas a llegar tarde.

Miro el reloj.

Voy a llegar tarde el primer día que estoy en cuarto.

Agarro mi mochila y grito:

—¡Gracias! —y salgo zumbando hacia mi clase.

El señor Robinson, el director, me detiene, me hace volver atrás y me obliga a recorrer otra vez todo el camino andando despacio.

Después me regaña por llegar tarde.

Camino deprisa hacia mi clase y paso por delante de la puerta de tercero.

El señor Coten está presentándose ante sus nuevos alumnos.

¡Qué sueeerte tieeenen...!

Entro en mi clase a toda velocidad.

—Llegas tarde —me dice Ana Burton mirando su reloj.

—Gracias, Big Ben —la he llamado con el nombre que en Londres le dan al gran reloj de la Casa del Parlamento y busco un sitio donde sentarme.

Echo una mirada a la clase y me doy cuenta de que todos se han sentado en las mismas filas y en los mismos sitios que tenían el año pasado en la otra clase.

Me siento en lo que hubiera sido mi antiguo lugar.

El pupitre de al lado está vacío.

—Bienvenida, Ámbar —la profesora me sonríe—. Soy la señora Solt. Tiffani me ha contado que estabas buscando tu mochila y veo que la has encontrado.

Miro a la profesora y también sonrío:

—Hola.

La señora Solt es una profesora nueva.

No sé qué le habrá pasado al profesor de cuarto del año pasado.

Bueno, la señora Solt no es sólo nueva, también es guapa.

Tiene los ojos cafés, la piel tostada y el pelo castaño. Sus pestañas son las más largas que he visto en mi vida.

Lleva una falda larga color malva y un suéter rosa precioso.

Espero que sea tan buena profesora como el señor Coten... e igual de simpática.

Nos pasa unos papeles y nos dice que los llenemos con una información que para ella es importante.

Nombre
Dirección
Nombre de los padres o tutores
¿Qué te gustaría contarme sobre ti?
¿Qué te gustaría aprender este año?
¿Qué te gustaría que pasara este año?

Las dos primeras cosas son fáciles.

Sé muy bien cómo me llamo y dónde vivo.

En cuanto al nombre de mis padres, primero pienso en poner PAPÁ Y MAMÁ, pero luego decido que mejor no.

No quiero que la señora Solt piense desde ahora mismo que soy una vacilona.

Ya sabe que soy una verdadera perdedora de mochilas.

Pongo los nombres de mis padres: Sara y Phil.

Lo demás ya no es tan fácil.

¿Qué es lo que me gustaría contarle de mí?

Después de estar un ratito pintando garabatos en un pedazo de papel, escribo:

De mí no sé qué decirle. ¿No podría usted haber hecho que esta contestación fuera eso de: verdadero/falso? ¿O que fuera una de esas preguntas con tres posibles respuestas?

Las otras preguntas son un poco menos difíciles.

Creo que quiero aprender más sobre la gente. Algunos días es que no entiendo nada a las personas.

Y quiero averiguar si hay algún modo secreto y seguro de encontrar un mejor amigo nuevo.

¿Que qué es lo que quiero que pase este año? Eso es fácil. Quiero que mis padres vuelvan a juntarse, quiero que Justo y su familia vuelvan, quiero encontrar un nuevo mejor amigo por si acaso Justo tiene que irse otra vez.

Miro la última respuesta; espero que la señora Solt no piense que yo sólo pienso en mí misma, así que añado:

...y quiero que no haya guerras ni contaminación ni nadie que pase hambre.

Y entonces me acuerdo de algo que también quiero, así que lo pongo también:

me gustaría que se estropeara toda la cosecha de coles de Bruselas de este año.

He terminado de llenar la dichosa hoja de papel; ahora a esperar que pase algo interesante.

5

2.672 dividido entre 2.

¿Por qué la señora Solt me hace esto a mí?

¡Pon, pon! Alguien está llamando a la puerta.

—¿Quién llama? —pregunta Jaime.

—Alguien que quiere entrar en esta clase —le contesta Roberto.

—Esto no es una clase, esto es un cuarto —canta Jaime.

La señora Solt se voltea y los mira con esa cara que ponen los profesores, medio divertida y medio seria:

—Han llamado a la puerta y ésa no es ninguna razón para que digan tonterías.

La señora Solt va hasta la puerta y la abre.
Entra la señora Clarke, la subdirectora.
Y no viene sola.

—Aquí les traigo a Brenda, que no sabía dónde estaba su nuevo salón; veo que ya están todos bien instalados —y nos sonríe.

Casi todos los de la clase miramos a Brenda, y la saludamos con la mano o le decimos cosas como:

—¡Hola!

—¡Cómo te ha crecido el pelo!

Yo la saludo con la mano.

Me gusta cómo viene vestida.

Se ha puesto unas mallas rojo oscuro, una camiseta larga de color rojo más claro y tenis con agujetas de colores.

Su pelo largo y rizado tiene algo especial.

No es fácil distinguirlo desde tan lejos, pero veo que es algo especial.

La señora Solt dice:

—Bienvenida, Brenda.

En ese momento suena un teléfono dentro de la clase.

La señora Clarke saca un aparatito de su bolso.

El teléfono suena otra vez.

Se lo pone en la oreja y escucha durante un minuto, después dice:

—¿Que ha hecho qué?

Todos la miramos.

Ella nos dice:

—Perdónenme, por favor.

Y sale de la clase a toda prisa.

Brenda se queda allí, delante de nosotros, mirándonos.

De verdad que me gusta mucho cómo está vestida.

La señora Solt dice:

—Bueno, Brenda, vamos a ver dónde encuentras un lugar.

Decido lo que quiero hacer y lo hago rápidamente.

—¡Hay un sitio vacío a mi lado! —digo.

—¡No ha levantado la mano! —acusa Ana Burton mirándome.

—Tampoco tú la has levantado —le dice a ella la señora Solt.

Ana se enfurruña. Yo sonrío.

—Brenda, puedes sentarte junto a Ámbar —la señora Solt señala el sitio vacío que hay a mi lado—. Y, Ámbar, recuerda que debes levantar la mano antes de hablar.

Levanto la mano.

—Sí, Ámbar, dime.

—Gracias —le digo.

Brenda se sienta a mi lado.

Ana se vuelve hacia nosotras y nos saca la lengua.

La señora Solt me dice:

—Ámbar, explícale a Brenda lo que estábamos haciendo mientras yo busco sus libros.

Le enseño a Brenda el libro de *mate*.

Brenda mira mi ejercicio:

—La solución es doscientos veintidós, coma, seis, seis, seis.

—¡Gracias! —la miro y le guiño un ojo.

La señora Solt trae los libros de Brenda.

Mientras ellas hablan, yo miro a Brenda.
Lleva tres mechones de su pelo rubio
trenzados con hebras de colores diferentes
y lleva cuentas en cada uno: unas arriba y
otras en las puntas. Dos mechones empiezan a trenzarse desde lo alto de su cabeza.

El tercero sale de detrás de su oreja y es por lo menos tres centímetros más largo que el resto de su pelo. Eso era lo que me pareció especial al verla.

La señora Solt vuelve hasta su sitio y escribe en el pizarrón el ejercicio de matemáticas que tenemos que hacer. Nos da tiempo para que lo hagamos.

Antes de ponerme a hacerlo, le escribo una nota a Brenda.

Hola. Me alegro de que hayas vuelto. Me gusta tu pelo... y tu ropa.

Firmo con la firma especial que he estado ensayando para cuando me haga famosa y le paso la nota a Brenda.

La lee, escribe algo en ella y luego me la devuelve.

Hola,
Gracias.
A mí me gustan tu camisa y tus zapatos.

La ha firmado con su firma especial también.

Creo que voy a tener un nuevo mejor amigo, bueno, amiga.

Le escribo otra vez.

Me encanta que hayas vuelto y que te sientes a mi lado. ¿¿Sabes?, Justo me ayudaba con las mates… y yo le ayudaba a él en la ortografía. Si quieres puedo ayudarte a ti también.

Ámbar

Brenda mira mi nota, primero sonríe, pero luego se pone seria.

Escribe en el papel y me lo devuelve.

No necesito ayuda en ortografía…
¡y no soy Justo!

Me vuelvo hacia ella.

Está mirando fijamente hacia delante.

—Brenda —llamo bajito.

—¡No soy Justo! —me dice también en voz muy baja.

La señora Solt nos advierte:

—Ámbar y Brenda, calladas o tendré que separarlas.

Cuarto va de mal en peor... y no hemos hecho más que empezar.

6

Cuatro días en cuarto curso y yo, Ámbar Dorado, no quiero volver a ese cuarto. Lo único que quiero es quedarme en casa.

Le he dicho a mamá que tenía paperas, sarampión, un nuevo tipo de varicela, un dolor de garganta que me llegaba hasta las uñas de los pies, un ataque al corazón, dolores horribles de cabeza y un envenenamiento.

No me ha servido de nada, pues mi madre me ha hecho ir al colegio todos los días.

A mi madre no se le convence fácilmente.

Bueno, pues yo no quiero ir al colegio.

Y no es que sea TAN malo.

La señora Solt es una buena profesora...,
pero no es el señor Coten.

Pienso en el señor Coten.

Me acuerdo del último día del curso pasado, cuando nos repartió los pasaportes que habíamos hecho.

Los utilizábamos en aquellos viajes imaginarios.

—Quiero que guarden estos pasaportes para que se acuerden siempre de los viajes que hemos hecho para visitar otros países... y también para que piensen en el "viaje" que cada uno de ustedes ha hecho para crecer, para aprender, para cambiar —nos dijo.

Yo miré mi pasaporte.

El señor Coten había puesto un sello en él.

Un sello que decía:

VISA PARA ENTRAR A CUARTO.

Dentro de mi pasaporte encontré una notita que él me había escrito:

Ámbar: ha sido estupendo tenerte en mi clase. Me ha gustado tu sentido del humor, tu inte-

rés por todo, tus ganas de preguntar siempre, tu coraje para enfrentarte a cosas nuevas, aunque sean difíciles (como mate... o la partida de Justo).

Has usado bien este pasaporte. Disfruta ahora de tu pasaporte de verdad. Mándame alguna postal. Pásala bien en Londres y en París.

Le mandé una postal desde Londres.

Este año ya no lo tengo de profesor, aunque sigo teniendo los mismos compañeros.

Los compañeros de clase están todos bien... menos Ana Burton, pero ésa ya era así el año pasado.

Y me gusta Brenda, aunque yo creo que yo no le gusto mucho a ella.

Echo de menos a Justo.

Yo, Ámbar Dorado, pienso que todo el mundo en este mundo debería tener un mejor amigo.

Doy vueltas por el patio durante el recreo, no hablo con nadie y recorro mi "paseo con Justo".

En los columpios recuerdo cómo, cuando estábamos en primero, nos turnábamos para empujarnos uno a otro y hacíamos como si fuéramos pájaros. Gritábamos: "¡Soy una paloma... *glú, glú, glú!*"

Al pasar junto al gimnasio de los pequeños, me acuerdo de cuando Justo y yo organizamos un campamento de ejercicios de circo. Yo gané una cinta azul porque estuve colgada de cabeza de una barra más tiempo que ninguno y, además, cantando la canción de *Plaza Sésamo*.

Junto a la fuente, me acuerdo de cuando estudiábamos las ballenas y Justo y yo nos llenamos la boca de agua y jugamos a que éramos ballenas con hipo. Nos empapamos.

Y en el rincón de la arena, me acuerdo de cuando me caí saltando y Justo me ayudó a sacarme la espina que se me había clavado en la rodilla.

Y recuerdo cuando en tercero, en aquella fiesta de disfraces, Justo convenció a toda la clase para que se pusieran a gritar al mismo tiempo: "¡Señor Coten, señor Coten, señor Coten...!". Y cuando el señor Coten nos preguntó que por qué hacíamos aquello, Justo le dijo: "¡Porque estamos *cotentos*...!"

Me quedo debajo del árbol y miro a todos los que están en el patio.

Creo que casi todos tienen un mejor amigo.

El árbol es un sitio muy especial.

Es el lugar en que le conté a Justo que mis padres se separaban y que yo me sentía muy triste.

No me dijo nada que me ayudara mucho, pero sólo eso de podérselo contar a alguien ya ayuda un poco.

A nadie de mi clase le puedo contar ahora lo que me está pasando..., ni hay nadie con quien me pueda divertir un poco.

Echo muchísimo de menos a Justo.

Brenda pasa andando despacio cerca de mí.

Me gustaría llamarla y decirle que se quede conmigo, pero no lo hago.

Mira hacia mí como si fuera a decirme algo, pero no me dice nada.

Y me alejo de ella cuando suena el timbre. Se acaba el recreo y el paseo con Justo.

Espero con todas mis fuerzas que las cosas mejoren pronto.

7

Yo, Ámbar Dorado, declaro que me gustaría poder repetir esta primera semana de colegio, como cuando en clase de gimnasia me confundo en un ejercicio y el profe chasquea los dedos y me dice:

—Vuelve a empezar, repítelo todo desde el principio.

Si yo pudiera chasquear mis dedos y gritarme: "¡Repítelo todo desde el principio!", haría muchas cosas de modo diferente.

No le hablaría a Brenda de Justo..., especialmente para no compararla con él.

Y procuraría que no me importara tanto que ella no parezca querer ser amiga mía.

Y procuraría que me alegrara que mis compañeros sean simpáticos conmigo..., y que no me pusiera tan triste pensar que no tengo un mejor amigo... y que tampoco sé cómo hacer para conseguir uno.

Y, desde luego, no me presentaría el primer día en la clase de permanencia. Mi nombre no estaba en la lista, así que hubiera podido esconderme en los servicios o en cualquier otra parte hasta que mamá viniera a buscarme.

Pero ahora ya estoy en la lista y tengo que quedarme allí sentada con un grupo de alumnos de distintas clases, desde primero hasta sexto. Opino que deberían cambiarle el nombre de Permanencia y llamarle: Horas de Aburrimiento para Alumnos Prisioneros en el Colegio Hasta que sus Padres Vienen a Buscarlos.

Hago todo lo posible por no pensar en todas las cosas que me están fastidiando: el divorcio de mis padres, Justo y su familia tan lejos, Max tan cerca.

Pero aunque trate de chasquear mis dedos y gritar: "¡Repítelo todo desde el principio!", sé que no funcionará.

Para empezar, no sé chasquear los dedos. En vez de un chasquido, me sale algo que suena como un suspiro suave, así: *zug*.

En segundo lugar, yo, Ámbar Dorado, sé que por muy ansiosamente que se espere algo, eso no significa que vaya a conseguirse.

Y odio saberlo.

—Ámbar —me llama mamá desde abajo—, hora de cenar.

Me asomo a la escalera y digo:

—Bajo en un minuto.

Mientras me lavo las manos, sigo pensando en todos los líos que me están volviendo loca.

Bajo las escaleras ensayando eso de chasquear los dedos. *Zug, zug, zug...*

Entro en el comedor.

Casi siempre cenamos en la mesa de la cocina, pero mamá ha dicho que esta noche vamos a hacer algo especial... cenar algo rico y charlar sin prisa.

Anda tan ocupada ahora... Como tiene que salir del trabajo antes para recogerme a mí, debe traerse trabajo a casa.

Miro los tres lugares puestos sobre la mesa.

Yo creía que sólo íbamos a estar ella y yo.

A lo mejor ha invitado a cenar a Max.

Estoy casi segura de que ella había dicho que iba a esperar un poco antes de invitarlo a venir a casa.

Yo, Ámbar Dorado, tengo que asegurarme antes de ponerme furiosa de verdad.

—¡Mamá! —grito—. ¿Quién más viene a cenar?

—Nadie, sólo cenamos tú y yo —me contesta desde la cocina...

Vuelvo a mirar la mesa: tres platos, tres cuchillos, tres tenedores, tres cucharas, tres servilletas, tres copas...

Me parece que hay tres de todo.

Me quedo allí mirando.

¿Tiene mi madre un amigo imaginario?

¿Se ha vuelto Max invisible y es éste el modo de estar en casa sin que yo le vea?

¿Padece mi madre alguna enfermedad cerebral?

¿Estoy yo mal de la vista y veo triple o doble más uno?

¿Me habré convertido de verdad en una preocupona profunda y habrá alguna razón razonable para que haya tres de todo?

Entra mi madre en el comedor y pone el platón con espaguetis encima de la mesa. Exclama:

—¡Bueno, es para no creerlo!

Recoge un servicio entero y se lo lleva. Dice otra vez:

—¡Es para no creerlo!

Habla con ella misma como si yo no estuviera allí.

—¿Pues no he puesto servicios para nosotros tres: Phil, Ámbar y yo? Como si nada hubiera pasado...

Le tiro de la manga:

—Oye, a lo mejor eso quiere decir que estás deseando volver a juntarte con papá.

Niega con la cabeza:

—No, eso sólo quiere decir que estoy muy cansada y que no pensaba en lo que estaba haciendo. Durante mucho tiempo he puesto la mesa para tres y supongo que ahora lo he hecho por pura costumbre.

Se sienta a la mesa sin decir nada más.

También yo me siento.

—Sí, es como cuando yo empiezo a ir hacia la antigua casa de Justo, o como cuando descuelgo el teléfono para marcar su antiguo número.

Afirma con un gesto y me sonríe.

—Todo eso forma parte de nuestro pasado y no siempre nos acordamos de que ya no corresponde al presente, al menos no de la misma forma.

Yo, Ámbar Dorado, creo que soy demasiado joven para tener un pasado..., especialmente un pasado con tantas complicaciones dentro.

Me acuerdo de cuando todo era fácil y divertido.

Espero que todo eso no sea de verdad pasado.

Miro a mi madre.

Tiene aspecto triste y cansado.

Sé cómo se siente.

—Anda, mamá, vamos a hacer un campeonato de sorber espaguetis.

—Ámbar —se ríe mamá—, yo soy una persona mayor y a mi edad ya no se participa en campeonatos de sorber espaguetis.

Le hago una mueca divertida.

Se ríe.

—¡Por favor, por favor...! —le pido.

Primero niega con la cabeza, luego se ríe y al final dice que bueno.

Comparamos la longitud de nuestros espaguetis, después los sorbemos.

Gano yo.

—¡Dos de tres! —dice. Mi madre tiene en la barbilla una mancha de jitomate.

Sorbemos otra vez.

Ahora ha ganado ella.

Un tercer sorbetón. Yo, Ámbar Dorado, ¡campeona!

La cara de mi madre es una pura risa manchada de salsa de espagueti.

—Oye, ¿puedes enseñarme a chasquear
los dedos? —le pregunto, y le hago una de-
mostración del *zug* que es todo lo que consigo.

—Es muy fácil —dice y chasquea sus dedos.

Practicamos.

Y pronto empiezo a conseguir una especie de *zug-chasc*.

No es todavía un chasquido perfecto, pero ya es algo.

Cuando logre un chasquido perfecto, voy a chasquear mis dedos y a decir: "¡Repite todo desde el principio!".

Si no funciona, voy a decir: "¡Sigue intentándolo!".

Yo, Ámbar Dorado, voy a poder con todo esto.

Zug.

¡Chasc!

8

Todas las tardes la misma aburrida permanencia.

¡Ah!, pero hoy ha sido diferente.

Ha venido Brenda.

He oído decir a la señora Solt que la madre de Brenda ha empezado a trabajar.

Eso quiere decir que Brenda va a quedarse aquí todas las tardes.

Cuando entró, le sonreí...: una sonrisa amistosa, pero no una sonrisa demasiado amistosa. Yo, Ámbar Dorado, he decidido no preocuparme tantísimo por conseguir

un mejor amigo, aunque de verdad sigo queriendo tener uno, o una.

Así que la saludé con la sonrisa normal con que se saluda a un compañero de clase..., no con la sonrisa de "por favor, por favor, por favor, sé mi mejor amiga".

Ella me saludó también, echó una mirada por toda la clase y vio que éramos las dos únicas alumnas de cuarto que había allí.

Así que vino y se sentó a mi lado.

Un escándalo enorme nos llega desde el otro lado de la clase.

Tres chicos de quinto juegan a que son maestros de karate y andan cortando el aire con las manos y largando patadas mientras lanzan gritos de "Hi. Ya." y otros parecidos.

La profesora los hace sentarse.

Bueno, nos manda sentarnos a todos y después grita:

—¡Las cabezas sobre los pupitres!

Empiezo a reírme.

Procuro contenerme, pero no puedo.

—¿Le importaría a usted contarle al resto de la clase qué es lo que encuentra tan divertido, señorita Dorado? —me dice la profesora en un tono sarcástico.

No puedo remediarlo. Cuando dijo: "¡Las cabezas sobre los pupitres!", estuve a punto de decir: "Yo no puedo, todavía la tengo sujeta a los hombros."

Me mira.

Pienso en que mis padres se pasan la vida diciéndome que una buena educación me

va a enseñar a mantener bien firme la cabeza sobre los hombros. Ahora me pregunto: ¿cómo voy a mantener mi cabeza bien firme sobre mis hombros si tengo que ponerla de vez en cuando sobre el pupitre?

No puedo parar de reírme.

Quiero parar, pero cuando empiezo no puedo parar.

—¡Castigada a quedarte después de clase! —la profesora viene hacia mí—. ¡Pon la cabeza en el pupitre ahora mismo!

La pongo.

Esta profe es un poco boba; si me tengo que quedar aquí todas las tardes, ¿qué me puede importar permanecer aquí porque ella me haya castigado a quedarme?

Mientras tengo la cabeza apoyada en el pupitre, pienso que si Justo estuviera aquí, yo podría subirme el suéter hasta cubrir la cabeza y hacer como si no tuviera cabeza.

Miro a Brenda.

Levanta una ceja y se muerde el labio para no echarse a reír.

Me pongo el suéter por encima de la cabeza y hago como que no tengo cabeza.

Brenda explota y se ríe a todo reír.

Eso hace que yo me ría mucho más.

La profesora me castiga a quedarme otro día después de clase.

Y castiga también a Brenda a lo mismo.

Cuanto más quiero parar de reírme, más me río.

Es que no puedo pararme.

Y lo mismo le pasa a Brenda.

La profesora se pone enfadadísima.

Me castiga a quedarme otro día más, el tercero, y luego otro, el cuarto.

A Brenda la castiga a quedarse un segundo día y luego un tercero.

Me quedo allí sentada y pienso: "Yo, Ámbar Dorado, estoy en cuarto. Y esta profe me ha castigado a quedarme cuatro días sentada en este cuarto. Lo malo es que voy a quedarme aquí después de las clases muchos más días que cuatro...".

9

—*¡Burp! ¡Burp! ¡Burp, burp, burp...!*

Se produce un momento de silencio.

—¡Cuarenta eructos...! ¡No te pares ahora! —Jaime y Roberto jalonean a Federico—. ¡Vas a conseguirlo! ¡Tres más y bates el récord!

—No puedo más —Federico se pone una mano en el pecho—. No me queda ya nada aquí dentro. Estoy vacío del todo, ya no puedo eructar más.

—El siguiente —llama Jaime; sostiene en alto la sirena—. ¿Quién es el siguiente?

¿Quién va a ganar esta preciosa sirena?

Miro la sirena; tiene el pelo rubio, cuerpo azul de plástico y cola. Y estrellas brillantes por encima.

Jaime aprieta una de las estrellas y suena una musiquilla.

La sirena es feísima.

La música suena completamente desafinada.

Yo quiero la sirena.

Levanto una mano.

—Ámbar Dorado, tu turno —vocea Jaime.

Me adelanto y salto al centro.

Y eructo.

Y eructo.

Y eructo.

Naomí y Alicia empiezan a acompañarme y a animarme eructando también.

Veintinueve eructos... no son suficientes, pero estoy mejorando.

Ayer sólo conseguí veintiséis.

—Eres tan poco femenina —me grita a la cara Ana.

—¡Muchas gracias! —le digo.

—¡Eres tan infantil! —añade.

Le hago una reverencia riéndome.

—¡Eres un globo! —dice.

Le suelto un eructo.

Sólo uno... pero me ha salido estupendo.

Da media vuelta y se larga.

—Ámbar ya lo ha intentado quince veces —Gregorio lleva la cuenta.

El campeonato de eructos ha terminado por hoy.

Sólo falta una semana para que alguien gane la sirena.

Brenda está cerca de mí.

Miro hacia ella y sonrío.

Se acerca, me hace una mueca amistosa y alza una ceja:

—Lo has hecho estupendo, Ámbar. Tal vez consigas ser la Reina del Eructo de cuarto.

—¡No estaría mal! —le contesto, y le hago un guiño—. Pero va a ser difícil. No puedo practicar durante la permanencia, y mamá me ha prohibido eructar en casa. Dice que es una vulgaridad y se enfadó cuando eructé delante de ella en vez de decirle: "Hola", al verla entrar. Necesito practicar más para ganar la sirena.

—Y serías Reina del Eructo —Brenda se ríe y me dice—: ¿Sabes? Si yo fuera capaz de eructar a propósito, y no sólo cuando me sale sin querer, también participaría en el campeonato. Me encanta esa sirena tan fea.

Me quedo pensando durante unos minutos y luego digo:

—Oye, si yo la gano, podremos compartirla. Yo la tengo una semana y tú la otra, ¿qué te parece?

—¡Uy, gracias! —me dice Brenda contenta. Yo le sonrío.

No me dice nada y se queda seria como si

estuviera pensando en tomar una decisión importante, luego me dice:

—Escucha. Puedes venir a casa después de la escuela para practicar. Yo seré como tu entrenadora… y, si quieres, puedo trenzarte el pelo también.

—¡Claro que quiero! —le digo, y le hago mi mueca más divertida.

—Bueno, pues se lo diremos a nuestras madres esta noche y puedes venir mañana.

¡Quiero que ya sea mañana!

10

Querido Justo:

Gracias por tu carta.

Me gustaría que estuvieras aquí. (Probable-mente tú no querrías estar aquí porque estoy en eso de la permanencia y, encima, castigada en un pupitre aparte... porque el otro día no quise agachar la cabeza).

El chicle masticado que me mandaste lo he pegado a nuestra bola. Fue una buena idea mandarlo envuelto en una servilleta mojada y dentro de un sobre grueso (lo manchó un poco).

Yo sigo pegándole mis chicles viejos también. Me gustaría que pudieras venir tú mismo a pe-gar los tuyos.

También me gustaría que tu letra fuera un poco mejor.

Quiero que me aclares unas cuantas cosas sobre lo que comes en tu nuevo colegio (es dificilísimo entender lo que escribes. ¡Tienes una letra malísima!).

¿Te dan huevos con arroz o huesos con aros?

¿De verdad tienes que comer filitas de cardos con patadas atadas? (Me parece una comida rarísima, la verdad).

¿Es cierto que los chicos de tu clase le llaman al comedor hamburguesería de... eso?

¡Guau!

Tengo otra cosa que preguntarte: ¿No hacen caligrafía en tu nuevo colegio?

Y tengo que preguntarte otra cosa. Ahora que vives en ese sitio que está tan lejos, ¿se te está pegando el acento con que hablan los de ahí? ¿Vas a empezar a pensar que la que habla con un acento distinto soy yo?

Me da mucha rabia que no estés aquí. Jaime y Roberto están haciendo un campeonato de eructos. ¡¡¡Me gustaría que vieras lo que van a dar de premio!!!

Bueno, ahí van unas pocas noticias:

1.- Mi madre está saliendo con un tipo que se llama Max. Secretamente yo lo llamo Min..., como mínimo. Todavía no lo he visto... y la verdad es que tampoco tengo ningún interés en verlo.

2.- Me gustaría que mi padre volviera.

3.- Y que tú volvieras también.

4.- He aprendido a chasquear mis dedos.

5.- ¡Ah!, ¿y sabes qué? Me estoy haciendo amiga de Brenda Colvin. Es simpática. Te gustaría.

Espero que también tú tengas un amigo nuevo, sólo que no lo quieras o la quieras más que a mí, ¿eh?

Ámbar

P.D. Creo que no deberías comer demasiadas filitas de cardo con patadas atadas.

—Brenda —dice dulcemente la profesora que nos cuida en la permanencia—, tu madre ha venido para recogerlas a ti y a Ámbar.

Resulta interesante comprobar lo suave y dulce que suena la voz de algunos profesores cuando los padres están cerca.

Me encanta que la voz de la señora Solt sea igual de dulce cuando habla con nosotros que cuando habla con los padres.

Mientras recogemos nuestros libros le digo bajito a Brenda:

—Espero que tu madre sea una forzuda.

—¿Por qué? —me pregunta en el mismo susurro.

—Bueno, ella ha dicho que tu madre va a recogernos, ¿no?

Empezamos a reírnos y a reírnos, pero esta vez no nos castiga a quedarnos más tiempo... Supongo que es porque la señora Colvin está ahí esperándonos... o quizá porque la profe está hoy de mejor humor.

Yo estoy de un humor estupendo.

No sólo voy a ir a casa de Brenda; además me va a trenzar el pelo.

Voy a ser una Ámbar Dorado con un aspecto completamente nuevo.

11

—¿Quieres que te enseñe una cosa fenomenal? —me pregunta Brenda cuando en-
tramos en su habitación.

Le digo que sí.

Abre el cajón de arriba de su cómoda y
saca un rollo de cinta de chicle de por lo menos dos metros de largo.

—¿Puedo decir una cosa de Justo? —se
lo pregunto con un poco de miedo de que se
enfade.

—Mientras no me compares con él... o digas algo que me haga pensar que eres mi amiga porque no has encontrado a nadie más que quiera serlo —me dice.

—¡Nada de eso, palabra! ¡Qué cosas dices! —protesto.

—Bueno, di —abre el paquete de chicle.

—Creo que este chicle es de verdad fenomenal. Justo y yo lo comprábamos muchas veces y luego nos lo repartíamos, la mitad para cada uno. Algunas veces nos metíamos en la boca esa mitad entera y, cuando la teníamos ya muy masticada, la pegábamos en nuestra bola de chicles masticados. Es enorme y ahora la tengo yo. Un día te la enseñaré.

—Bueno, un día —Brenda hace una mueca y levanta una ceja.

Desde la primera vez que la vi hacer eso he intentado hacerlo yo también, pero por más que he tratado no lo consigo. En vez de la ceja se me mueve el labio.

Brenda dice:

—¿Podían Justo o tú hacer bombas con el chicle soplando por la nariz?

—¡No!

Se mete en la boca un trozo grande de chicle y lo mastica durante un rato, y cuando lo tiene ya blando se lo saca de la boca, lo aplasta y se lo pega sobre los agujeros de la nariz.

Después sopla fuerte por la nariz.

Hace la bomba de chicle más grande que he visto en mi vida.

Yo, Ámbar Dorado, me quedo verdaderamente impresionada.

Lo intento, pero en seguida me doy cuenta de que, para poder ensayar este truco, lo primero que hay que hacer es sonarse a fondo la nariz, hasta que no quede ni rastro de mocos.

He tirado el chicle.

Está demasiado puerco para añadirlo a mi bola.

—Bueno, ahora —dice Brenda—, vamos a hacerte las trencitas.

Me siento en una silla.

—Estáte quieta —me dice Brenda, y me da un espejo—; puedes mirar lo que hago, pero no te muevas.

Me muevo.

Es que es dificilísimo estarme quieta.

—¡No muevas la cabeza! —Brenda pone un trozo de cartón alrededor de un mechón de mi pelo.

Mantengo el espejo en alto para poder ver lo que está haciendo.

Me enseña un manojo de hebras de hilo para bordar de diferentes colores:

—Elige siete colores.

Morado. Rosa. Plata. Negro. Turquesa. Blanco. Verde.

Sujeta las hebras en lo alto del mechón y empieza a trenzar, mezclando unas veces un solo color y a veces dos, haciendo dibujos en algunos tramos.

—¡No te muevas! Tengo que apretar mucho la trenza.

—¿Dónde aprendiste a hacer esto?

—En California, este verano; mi prima Daniela me trenzó así el pelo y luego me enseñó a hacerlo. Practicamos mucho con su Barbie... y también con su perro.

Ha terminado una trenza.

Me miro en el espejo.

—¡Es fantástico!

Empieza otra trenza.

—Oye, Brenda —me atrevo a preguntarle una cosa que he querido averiguar desde que volvió—, ¿por qué ya no eres amiga de Ana?

Deja de trenzar durante un minuto.

—Bueno, no tienes que contestarme si no quieres —le digo, aunque la verdad es que tengo unas ganas locas de que me conteste.

Vuelve a trenzar de nuevo sin decir nada.

Y yo tampoco digo nada.

Por fin, dice:

—Mira, te lo diré. No es nada importante, pero quiero que me prometas que no se lo vas a contar nunca a nadie.

—Lo prometo —y espero a que ella empiece a contar.

12

Brenda sigue trenzando mi pelo y empieza a contar su historia:

—Cuando nos mudamos y vinimos aquí el año pasado, para mí fue muy duro —suspira—. Todos tenían ya sus mejores amigos, aquí todos se conocían unos a otros... y las personas que se conocen bien no suelen tener mucho tiempo para dedicarlo a alguien nuevo.

—Pero siempre te invitábamos a los cumpleaños y todo eso —le digo y bajo el espejo y la miro a ella.

—Sí, pero eso no es lo mismo que tener un mejor amigo con quién jugar todos los días y contarse secretos y divertirse, como hacían Justo y tú, por ejemplo. Cuando los miraba a ustedes me acordaba de que en donde yo vivía antes tenía una mejor amiga, Sandy; lo nuestro era muy parecido a lo que tú tenías con Justo. Me daba cuenta de lo bien que la pasaban juntos, menos cuando se pelearon justo un poco antes de que él se fuera.

—Fue una mala pelea —recuerdo.

—Yo sabía que no estaba bien, pero así y todo, yo me alegré de ver que se habían peleado —me aprieta un poco más la trencita—. Pensé que a lo mejor eso hacía que tú y yo pudiéramos hacernos amigas, pero en seguida volvieron a ser amigos. Cuando Justo se fue, esperé que me hicieras un poco de caso, pero te fuiste a Inglaterra y luego, cuando volviste, yo no estaba.

—¿Por qué no me dijiste algo? —doy un respingo porque me tira del pelo al trenzarlo tan apretado.

—Bueno, no es nada fácil eso —se encoge de hombros.

Creo que sé cómo se siente.

Brenda continúa:

—Justo y tú no parecían tener necesidad
de nadie más. La única persona que estaba
sin mejor amigo era Ana.

Me dan ganas de decir: "Claro, nadie quiere ser amigo suyo porque es una mandona",
pero no digo nada.

Brenda añade cuentas de colores a mi
trenza.

—Así que me hice amiga de Ana, pero no
me gustaba mucho, es tan mandona... Todo
tiene que ser como ella quiere, y a veces dice
cosas muy desagradables...

—Sí, ya sé.

Brenda se sienta en la cama y me mira:

—Era duro no tener un mejor amigo, así
que hice todo lo que pude para ser buena
amiga de Ana. Estuve con ella y su familia

una semana en la playa. Fue muy antipática conmigo, me decía cosas como: "Nadie más que yo querrá ser amiga tuya." La pasé tan mal que llamé a mi casa y mis padres fueron a buscarme. Luego, cuando me fui con mi familia a California, pasé unos días con mi prima Daniela. Tiene quince años y es muy simpática. Hablábamos muchísimo de muchísimas cosas. Después, cuando empezó el colegio otra vez, esperé que tú y yo pudiéramos ser amigas, pero parecía que lo que tú querías era otro Justo y no a mí, Brenda.

Brenda tiene la cara triste.

—Pero yo siempre he pensado que tú eras simpática. Yo no sabía que la estabas pasando tan mal —le digo.

—Pues así de mal me la estaba pasando —dice bajito.

Pobre Brenda. Ahora sé cómo se tiene que sentir de mal por dentro.

—Oye, Brenda, siento mucho que la hayas pasado tan mal y te digo de verdad que me gustaría mucho que fuéramos amigas.

—A mí también me gustaría —dice, y se pone de pie y empieza a hacerme otra trencita.

—Y no quiero ser tu amiga sólo porque Justo no está —le digo.

—Gracias —me hace cosquillas en la nariz con el mechón de mi pelo que tiene en las manos—, y yo no quiero ser amiga tuya porque Sandy está lejos.

Pienso en lo diferentes que son las cosas que hago con Brenda de las cosas que hacía con Justo.

Creo que a él no le hubiera interesado nada esto de las trenzas.

Y a Brenda le gusta leer libros mucho más que a Justo.

Y ella habla de cómo se siente por dentro, cosa que a Justo no le gustaba nada hacer.

Lo echo de menos terriblemente.

Nunca habrá para mí nadie como Justo.

Claro que nunca habrá tampoco otra Brenda.

—Si llegan niños nuevos al colegio, creo que deberíamos ser simpáticos con ellos, aunque tú y yo seamos muy amigas —me dice Brenda.

Digo que sí con la cabeza y pienso en los que tienen mejores amigos pero que de pronto deben de marcharse, y en los que tienen mejores amigos y deben quedarse y ver cómo se van.

Estoy segura de que es duro para todos.

¿Les pasará lo mismo a los mayores cuando sus amigos se van lejos?

Pienso en que la madre de Justo era amiga de mi madre y tuvo que marcharse lejos, y pienso en cómo mi padre tuvo que irse, y pienso también en cómo mi madre y mi padre dejaron de ser mejores amigos cuando se separaron. ¿Necesitará ahora mi madre un nuevo mejor amigo?

¿Será Max ese nuevo mejor amigo? No es nada fácil para mí pensar en esto ahora.

Brenda termina de hacerme la tercera trencita.

Pienso en lo que ella me ha dicho de hacernos mejores amigas la una de la otra.

Creo que eso no se consigue así de pronto... sólo con chasquear los dedos.

Bueno, la cosa es que aprendí a chasquear los dedos; claro que me llevó tiempo, tuve que practicar... Yo, Ámbar Dorado, sé que puedo aprender a ser una mejor amiga.

¡Zug...! ¡Chasc! Espero que aprenderé.

Brenda me pasa el espejo. Mis trenzas son fantásticas.

—Me encantan —le digo.

Hago como que me voy a meter una bolita en la nariz aunque no lo hago porque sé que puede ser peligroso.

—Son unas trenzas perfectas del todo —y luego digo—: Ahora vamos a practicar los eructos. Quiero ganar esa sirena.

13

Aprieto la estrella que la sirena tiene en el vientre y suena la extraña musiquilla desafinada.

Me hace reír.

Miro su largo pelo rubio y pienso que, a lo mejor, Brenda y yo podríamos trenzarlo con hilos de colores y ponerle cuentas también.

Me pregunto qué estará haciendo Gregorio con su sirena, la que ganó en el campeonato de eructos. Eructó noventa y dos veces para ganarla.

Después eructó el alfabeto completo.

Desde luego es el Campeón de los Eructos de nuestro colegio y, a lo mejor, del mundo entero.

Yo me quedé muy lejos de ese récord.

Eructé treinta veces, y al llegar allí me dio hipo.

Cuando a Gregorio le entregaron la sirena, la agarró por la cola y les empezó a pegar con ella a los otros niños.

Luego la tiró por los aires y jugaron con ella a echársela unos a otros. Se cayó al suelo un montón de veces.

A mí me gustaba la sirena, y me hubiera encantado ganarla.

Cuando volví a casa le conté a mamá que había perdido.

No pareció importarle mucho, y me dijo que esperaba que ya no volviera a eructar más.

Le eructé en las narices.

Y ya no pasó nada más... hasta hoy.

Viene mamá y me da un paquete con un regalo. Lo abro y... ¡es la sirena!

¡Es fantástico!

¡Cuando se lo cuente a Brenda!

¡Va a ser estupendo y divertido, ella es mi amiga y podremos compartir la sirena!

—¡Gracias, mamá! —le digo—. Eres formidable.

—Lee la notita —me dice.

Y la leo.

Tu madre me dijo que querías la sirena, así que ahí la tienes. Espero que te guste y yo espero gustarte a ti cuando nos conozcamos.

Max.

Dejo la sirena sobre la mesa:

—¡No la quiero!

—Ámbar —me dice mamá en tono delicado.

La odio cuando me habla en ese tono suave y triste.

—¡Max está jugando a ser amable! —le reprocho.

—Es amable —me sonríe—. No sabes lo que le ha costado encontrar la sirena. Llamó a la madre de Gregorio para averiguar el nombre de la compañía que había fabricado esa muñeca, y después llamó a la compañía para que le dijeran dónde podía encontrar una. Tuvo que llamar a cinco tiendas distintas hasta que encontró una que la tenía; se la han mandado con un mensajero.

Miro la sirena:

—No es más que una muñeca fea. Y yo ya no soy ninguna niña pequeña para jugar con muñecas... especialmente con muñecas que son un soborno.

—Ámbar —mi madre vuelve a utilizar ese tono otra vez—. Ámbar, Max sólo ha querido hacer algo para darte gusto, algo que me diera gusto a mí, que nos hiciera sentirnos a gusto a todos. Lo único que él quiere es que lo conozcas.

Su voz suena triste y su cara muestra la misma tristeza que tiene el tono de su voz.

Tiene un aspecto triste, triste de verdad; no esa clase de tristeza que algunas veces fingen las madres para conseguir que sus hijos hagan lo que ellas quieren.

Supongo que verdaderamente necesita un amigo nuevo... y que Max es ese amigo. Parece que no consigue olvidarse de él.

Miro otra vez la muñeca y pienso en lo mucho que Brenda se va a reír cuando vea la sirena... y en cómo nos vamos a divertir compartiéndola.

Y pienso también que hubiera sido todo mucho mejor si yo hubiera sido capaz de ganar la otra sirena eructando.

Y todavía hubiera sido mucho mejor si mi padre me hubiera regalado la sirena.

Pero mi padre está en París... y no creo que haya podido enterarse de lo mucho que yo quería conseguir la sirena.

Y miro a mi madre y me doy cuenta de lo triste que se ha puesto porque yo no quiero la muñeca, y lo feliz que estaba cuando me contaba todo lo que ha trabajado Max para conseguir la muñeca para mí.

Así que recojo la sirena y digo:

—Le escribiré una notita a Max para darle las gracias.

Mi madre me ha enseñado a escribir notitas para dar las gracias, y lo hago aunque en realidad pienso que es la cosa más aburrida del mundo.

—Quizás algún día querrás conocer a Max —me dice.

Hago el ademán de devolverle la muñeca.

—No tiene que ser ahora mismo —empuja la sirena hacia mí.

—Max te gusta de verdad, ¿no es eso? —no estoy segura de tener ganas de escuchar su respuesta.

Afirma con la cabeza y me dice:

—Sí, Ámbar, la vida continúa. Las cosas cambian, y todos tenemos que adaptarnos, hacer nuevos amigos, aceptar nuevos modos de vida, conservar lo que nos queda del tiempo pasado, las cosas buenas...

Pienso en cómo he tenido yo que hacer eso.

Y decido hacer la pregunta, aunque no estoy segura de querer oír la respuesta:

—Mamá, ¿te vas a casar con Max?

Mi madre respira hondo:

—No estoy segura. Es demasiado pronto para saberlo, pero, sinceramente, me interesa mucho, me interesa muchísimo.

Le interesa "muchísimo"... Suena bastante serio.

—¿Querrás conocerlo? —me pregunta.

Me encojo de hombros.

—¿Tengo que hacerlo? ¿Ahora mismo?

—Bueno, no ahora mismo, si no te sientes todavía preparada para hacerlo, pero me gustaría que se conocieran un día de éstos...

—y me lo dice muy seria.

La miro a ella, miro la sirena, pienso en mi padre y se me escapa un suspiro:

—Bueno, pronto, pero todavía no, por favor. Necesito primero acostumbrarme a algunas cosas.

Cuando yo era pequeña creía que las cosas iban a ser siempre igual; en realidad no era sólo que yo lo creía así, es que las cosas eran siempre iguales, por lo menos las cosas importantes.

Y luego, todo ha cambiado, incluso las cosas más importantes.

Y lo odio.

Ocurre que yo, Ámbar Dorado, no puedo hacer nada para que todo vuelva a ser como antes.

Sospecho que siempre van a haber cambios en mi vida.

Supongo que es así para todo el mundo.

Así ha sido para los que conozco; yo, Justo, nuestras familias, Brenda...

Por lo tanto, creo que lo que tengo que hacer es irme acostumbrando a mi nueva vida, mi nueva clase...; yo, Ámbar Dorado, tengo que aceptar de buen grado estar en cuarto...; y me gustaría llegar a ser para Brenda una buena amiga. Las cosas están así... por lo menos hasta que llegue a quinto. Entonces será el momento de enfrentarme con quinto.

Pero, hasta entonces, aún me queda un largo camino que recorrer.

Paula Danziger

Nació en Washington y se crió en Nueva York. Ha sido profesora de instituto y de universidad. Su primera novela tuvo tanto éxito que pronto pudo dedicarse sólo a escribir. Ha recibido muchos premios en Estados Unidos de América. Sus personajes parecen tan reales que los niños siempre tienen la impresión de conocerlos.

Aquí acaba este libro
escrito, ilustrado, diseñado, editado, impreso
por personas que aman los libros.
Aquí acaba este libro que tú has leído,

el libro que ya eres.